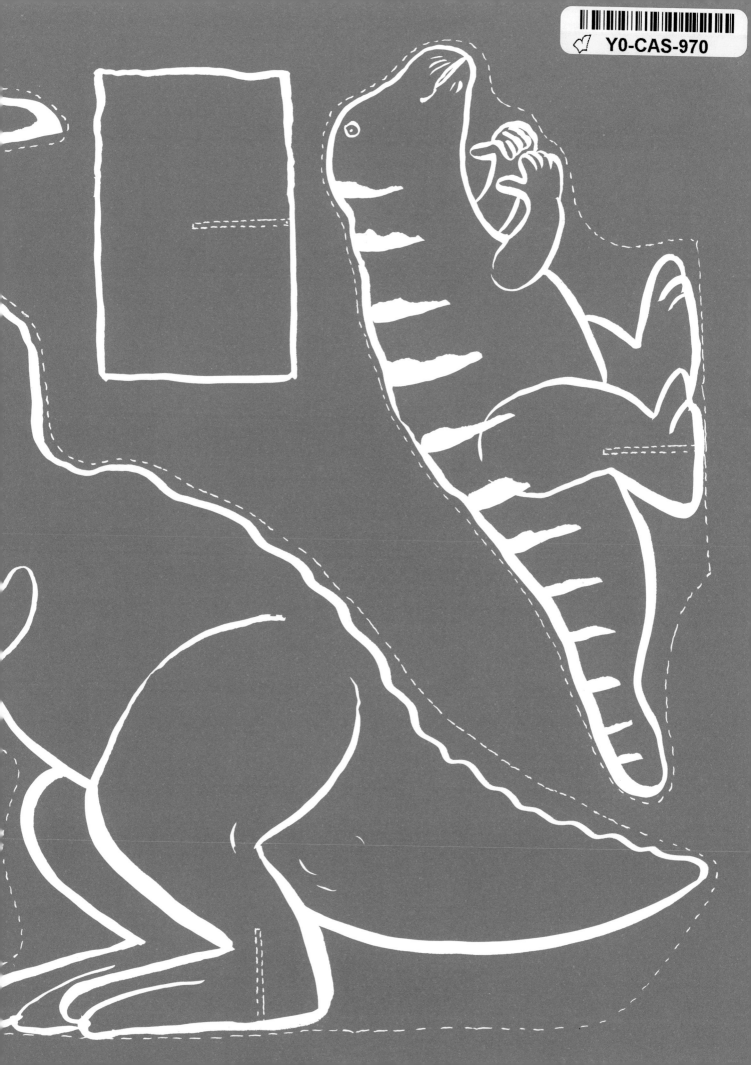

DinoManía

Mick Manning
y Brita Granström

¿Sabías que
tu cabeza es
del tamaño del ojo
de un T-rex?

Planeta Junior

Contenido

Dinomanía

Si hoy visitas un museo de historia natural, puedes ver enormes esqueletos de huesos fosilizados. Es probable que sepas lo que son pero, hace mucho tiempo, las personas que los encontraron por primera vez pensaron que eran los restos de dragones convertidos en piedra. Tiempo después, hace alrededor de 150 años, los científicos descubrieron que estos "huesos de piedra" pertenecían a algo mucho más interesante: los dinosaurios.

En el principio

La vida en la Tierra comenzó hace 3,800 millones de años aproximadamente, es demasiado como para imaginarlo, pero intentémoslo. Durante los primeros 3,440 millones de años, los únicos seres vivos eran criaturas diminutas, no mayores que una partícula de polvo. Luego, estas formas de vida microscópicas comenzaron a cambiar, a evolucionar hacia todo tipo de plantas y animales: mariscos, calamares, plantas, insectos y peces (los primeros animales con columna vertebral).

Hace alrededor de 360 millones de años, los primeros animales pasaron del agua a la tierra. Gradualmente, a lo largo de otros millones de años, se formaron más especies de todas formas y tamaños que se adaptaban a vivir dentro y fuera del agua. En los mares había enormes reptiles marinos. En la tierra, respirando aire, había ranas, lagartos y cocodrilos. Y luego hubo ¡**DINOSAURIOS**!

El mundo de los dinosaurios

Los dinosaurios y los reptiles marinos son algunos de los animales más grandes que han existido. El mundo en el que vivían era muy diferente al nuestro; para empezar, no había humanos. Los dinosaurios vagaban a lo largo de desiertos interminables, buscaban comida a lo largo de la costa, chapoteaban en pantanos y se ocultaban en bosques de pinos, helechos y araucarias.

Descubre y conoce más el mundo de los dinosaurios y recréalo con las actividades de este libro. Diviértete siendo un dinomaníaco.

Dinosaurio en griego significa "lagarto terrible". Es el nombre que damos a un grupo de animales que vivieron en la tierra hace millones de años.
Hecha un vistazo a estos "mordiscos de información" a lo largo del libro.

Identificación de dinosaurio

Estos son algunos de los diversos tipos de dinosaurios y reptiles marinos que encontrarás en este libro (¡no te acerques demasiado!). Esta identificación te dice lo que comían, cuándo vivieron y de qué tamaño eran. Cuídate de ellos a través de tu aventura por este libro.

Plesiosaurio
Reptil marino • Comía peces
• Jurásico • 12 m. de largo

Ictiosaurio
Reptil marino • Comía peces
• Jurásico • 5 m. de largo

Protoceratops
Herbívoro • Cretáceo tardío
• 1.8 m. de largo

Triceratops
Herbívoro • Cretáceo tardío
• 10 m. de largo

Ornitoqueiro
Pterosaurio • comía peces
• Cretáceo temprano
• 8 m. de envergadura

Oviraptor
Comía huevos • Cretáceo tardío
• 2 m. de largo

Estegosaurio
Herbívoro • Jurásico tardío
• 7 m. de largo

Tiranosaurio rex
Carnívoro • Cretáceo tardío
• 14 m. de largo

Alosaurio
Carnívoro
• Cretáceo tardío
• 12 m. de largo

Liopleurodonte
Reptil marino • Carnívoro
Jurásico tardío • 15 m. de largo

Dilofosaurio
Carnívoro
• Jurásico temprano
• 6 m. de largo

Troodon
Carnívoro
• Cretáceo tardío
• 2.4 m. de largo

Velociraptor
Carnívoro
• Cretáceo medio
• 1.8 m. de largo

Diplodocus
Herbívoro
• Jurásico tardío
• 25 m. de largo

Parasaurolofus
Herbívoro
• Cretáceo tardío
• 11m. de largo

Braquiosaurio
Herbívoro
• Jurásico tardío
• 23 m. de largo

Iguanodonte
Herbívoro
• Cretáceo temprano
• 11 m. de largo

Un viaje a través del tiempo

La Tierra ha existido por un tiempo tan largo, que la gente ha dividido el pasado en periodos a los que ha dado nombres como Jurásico y Cretáceo. Cada periodo dura millones de años. El periodo en el que vivimos se llama Cenozoico y comenzó hace 65 millones de años.

1 Toma un pedazo largo de papel tapiz y colócalo en el suelo. Trabaja por la parte de atrás.

2 Dibuja una línea a lo largo de la parte inferior y divídela en secciones, como la regla que está abajo. Los números representan millones de años, así es que hazlos grandes.

Hagamos un mapa

Crea una línea de tiempo y proyecta los millones de años en los que los dinosaurios dominaron la Tierra.

Necesitarás:
• un rollo de papel tapiz blanco
• pinturas y crayones
• pegamento
• un foto tuya
• revistas/historietas de dinosaurios (si quieres)

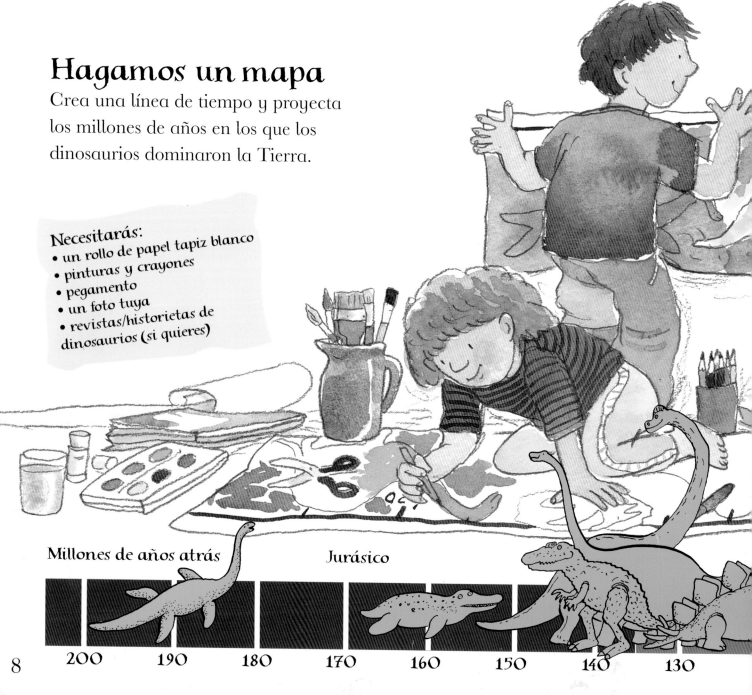

Millones de años atrás   Jurásico

200   190   180   170   160   150   140   130

8

3 Agrega tus especies de dinosaurio. Observa las que están abajo y las que están en las páginas anteriores. Dibújalos y píntalos en los lugares correctos de tu línea de tiempo. No importa si se amontonan en algunos sitios. Si te equivocas, dibuja un nuevo dinosaurio en una hoja aparte y pégala encima.

4 También recorta imágenes de las revistas o historietas y pégalas (esto se llama collage). Puedes agregar detalles de fondo a la tabla, tales como plantas gigantes y volcanes. Por último, agrega tu foto al final, donde dice "ahora".

La mayor parte de este libro es acerca de la eras de los dinosaurios verdaderamente grandes. Vivieron en los periodos Jurásico (hace **200-135 millones** de años) y Cretáceo (hace **135-65 millones** de años).

190   160

Cretáceo   Cenozoico

120   110   100   90   80   70   60   65   Ahora

9

Haz tu propio parque de dinosaurios

Necesitarás:
• caja de cartón grande
• pinturas
• tijeras
• bolsa grande de plástico transparente
• lápiz adhesivo o pegamento líquido
• taza de arena limpia
• una esponja vieja
• piedritas y conchas pequeñas

Da a tus dinosaurios un lugar donde vivir e invita a tus amigos a "Mundo Dino". Si no tienes dinosaurios que vivan en tu parque, puedes hacerlos de cartón; sólo traza las figuras de dinosaurio que hay al principio y al final de este libro.

Junto a la costa

Donde el mar jurásico tocaba tierra siempre había algo que comer. El olor de los animales muertos mojados en la playa atraía a los dinosaurios carroñeros, mientras que los bancos de peces nadando cerca de la orilla atraían a los reptiles marinos. En este peligroso lugar ocurría toda clase de aventuras…

 1 Corta dos lados y la tapa de la caja de esta manera (conserva los pedazos que quites).

2 Pinta la caja para crear una playa rocosa en el fondo, riscos detrás y volcanes en el fondo.

3 Cuando seque la pintura, unta pegamento en la playa y deja caer encima un puño de arena. Sacúdela sobre una hoja de periódico.

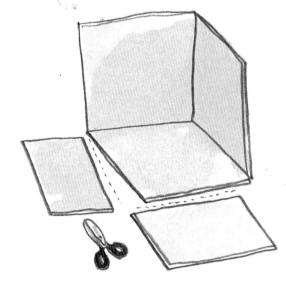

4 Con el cartón sobrante, forma dos olas como estas y píntalas de color azul o verde mar.

Los fósiles son los restos de animales y plantas que se encuentran en algunas rocas. A lo largo de millones de años se han ido convirtiendo en piedra junto con el material que los cubría, tales como arena o lodo.

5 Corta el fondo de la bolsa de plástico (y las asas en la parte superior). Coloca un extremo de la bolsa entre las dos olas, dejando los extremos abiertos hacia los lados. Pega la bolsa entre las dos olas y pega las olas a la playa. Déjalo secar.

6 Puedes agregar piedritas y conchas o, para formar una roca más grande, rasga y moldea una esponja y píntala de negro. Pégala a tu playa.

7 Coloca tu mundo acuático en una mesa con el mar de bolsa colgando por un lado. Ahora tienes un mar profundo para que naden tus reptiles marinos, agua baja para que otros pesquen y una playa para que los dinosaurios busquen alimento.

Bosque a la luz de la luna

Imagina un bosque a la luz de la luna. Los insectos cantan, los herbívoros mastican mientras los predadores se arrastran a su alrededor, listos para desgarrar y comer su carne.

1 Corta la parte trasera de tu caja de modo que te quede un marco de cuatro lados. Pinta el interior de negro.

2 Cubre la parte trasera de la caja con un trozo largo de una bolsa de plástico. Fíjalo con cinta adhesiva.

3 Corta tiras del cartón sobrante para hacer los troncos de los árboles. Haz unas ranuras en la parte superior de la caja y desliza los troncos. Pégalos y píntalos.

El *Dilofosaurio* era un ágil cazador en los bosques de las tierras altas y en las laderas de las montañas.

4 Desde la parte superior de la caja, cuelga tiras enrolladas de las bolsas, con esto harás que el bosque se vea obscuro y misterioso.

5 Corta dos alas en los costados de tu caja, lo suficientemente grandes para que puedas meter tus dinosaurios.

6 Deja caer brillantina en el suelo y en las ramas, luego agrega los dinosaurios.

7 Invita a tu familia y a tus amigos. Apaga la luz y enciende tu linterna. Alumbra a través de la bolsa de plástico para crear un efecto escalofriante de luz de luna. Haz gruñidos y rugidos de dinosaurio como efectos especiales.

Colonia de nidos

Para los dinosaurios herbívoros, la seguridad estaba en la cantidad. Muchos dinosaurios, incluyendo el *Parasaurolofus*, el *Maiasauria* y el *Protoceratops*, anidaban en colonias. Pero una colonia de nidos era también el lugar perfecto para encontrar un ladrón de huevos como el *Oviraptor*.

Necesitarás:
- una caja de cartón grande
- cartón adicional
- tijeras
- pinturas
- pegamento líquido
- papel de baño suave
- arena
- huevos pequeños de chocolate o arcilla

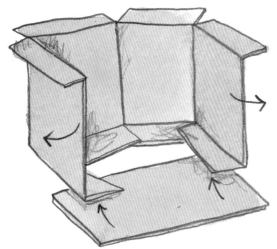

1 Abre el fondo de la caja y luego corta uno de los lados para poder abrirla. Utiliza el cartón adicional para formar una base sólida y píntala de un color arenoso. Pinta los lados de color azul cielo.

2 Comprime un poco de papel de baño con pegamento líquido (usa unos guantes viejos para lavar o tus manos quedarán muy pegajosas) y dale forma de nidos. Cuando se sequen, píntalos también de un color arenoso. Pégalos en el lugar que tendrán en la escena.

3 Unta pegamento líquido alrededor del lugar y riega arena por encima. Sacude la arena que queda suelta sobre un periódico.

El *Maiasaura* era uno de los herbívoros de tamaño mediano que anidaba en colonias.

4 Haz algunos cactus desérticos con la forma que vez en la imagen. Manténlos derechos con tiras de cartón.

5 Haz huevos de dinosaurio con arcilla. Con tus manos dales forma de huevo y píntalos de blanco. También puedes usar huevos de chocolate en miniatura.

6 Agrega tus dinosaurios y haz algunos agujeros alrededor de la caja para observar. Ahora puedes tener acercamientos increíbles a las actividades de tu colonia de nidos de dinosaurio sin asustarlos.

Móvil de pterosaurios

Los pterosaurios eran dinosaurios voladores. Al igual que las aves modernas, los había de tipos diferentes. Había algunos grandes que comían peces, como el *Ornitoqueiro*, y había especies más pequeñas como el *Ramforincus*. Es posible que chillaran como las aves marinas, gorjearan como las palomas o gritaran como los pericos. Cuelga este móvil de pterosaurios en tu ventana y asusta a las aves modernas.

Necesitarás:
- cartón (los costados de una caja de cereal están bien, píntalos de blanco con una pintura de agua.)
- tijeras
- pinturas, crayones y marcadores
- engrapadora o perforadora
- cuerda de pescar

 Dibuja los detalles en cada cartón; o sólo píntalos de colores brillantes. Une las dos piezas como se muestra.

 Para cada pterosaurio necesitas una pieza para la cabeza y una para las alas. Dibuja una cantidad igual de cabezas y de alas en el cartón y córtalas. Puedes copiar las figuras que se muestran aquí o dibujar las tuyas.

 Une la cuerda al cuello de cada uno. Puedes usar la perforadora o la engrapadora.

Los pterosaurios podían avanzar kilómetros con tan sólo un movimiento de las alas.

4 Cuélgalos a diferentes alturas en un cortinero o de un perchero.

5 En la oscuridad ilumina tu colonia de pterosaurios con una linterna para crear sombras y figuras sorprendentes. Agrega algo de música o efectos de sonido.

Los pterosaurios de cola larga, como el *Ramforincus*, murieron en el periodo jurásico, mientras que los de cola corta, como el *Ornitoqueiro*, sobrevivieron hasta el final del Cretáceo.

Dinosaurios en movimiento

Se piensa que muchas especies de dinosaurio, como el *Iguanodonte* y el *Parasaurolofus*, migraban: recorrían enormes distancias en busca de alimento. Viajaban en manadas grandes como lo hacen hoy las cebras y los ñus en África. Y, al igual que los leones que haz visto en los documentales de la televisión, había predadores como el *Velociraptor* y el *T-rex* esperando para emboscarlos.

Encuentra el dinosaurio

La próxima vez que vayan en un carro o en un autob[ús] imaginen que están en los tiempos de los dinosauri[os] siguiendo a las manadas en migración; y a los predadores que esperan por comerlas. Hagan una exploración, es decir, cuenten los diferentes tipos de dinosaurio. Esto se juega así:

1 Cada quién escoge un color de carro; ese es su *Iguanodonte* personal. Cada vez que vean un carro de ese color obtendrán 1 punto. También deben escoger un color de camioneta; ese es su *Triceratops* personal y obtendrán 2 puntos cada vez que vean uno. Una motocicleta es un *Velociraptor*, 10 puntos para el primero que la vea y 20 puntos para el primero que vea al escaso pterosaurio (avión).

Pterosaurio

= 20 puntos

= 2 puntos

= 1 punto

Triceratops

Iguanodonte

= 10 puntos

Velociraptor

2 Establezcan un tiempo para hacer la exploración. También pueden inventar otros puntos, por ejemplo, que una patrulla sea un *T-rex*. Sumen sus puntos. Gana quien tenga la mayor puntuación.

Espera, todo el tiempo has estado sentado dentro de un dinosaurio. ¿Eso significa que te han comido?

19

Observa un predador

Los dinosaurios predadores eran expertos para atrapar y comer carne. El *Dromiceiomimus* atrapaba insectos y lagartos, mientras que el *Velociraptor* cazaba en grupo a otros dinosaurios. Pero compartían muchas características con los predadores gigantes, como el *Alosaurio* y el *Tiranosaurio rex*.

El *Dromiceiomimus* y otros predadores corrían a 65km/h, más rápido que un avestruz.

T-rex

Órbitas de los ojos en las que cabría tu cabeza.

Fosas nasales grandes y excelente sentido del olfato.

Mal aliento causado por la carne podrida atorada entre los dientes.

Dientes como sierra del tamaño de un plátano.

Cuello fuerte para sacudir a la presa y para arrancar la carne del hueso.

Velociraptor

Cola larga para el equilibrio al correr y saltar.

Garra del pie larga para rasgar el abdomen de la víctima.

Dedos largos para sujetar a la presa mientras forcejea.

Alimenta un T-rex

Los predadores tenían estómagos resistentes que les ayudaban a digerir trozos de carne cruda y huesos. Alimenta a este *T-rex*.

Necesitarás:
• cartón   • tijeras
• pintura y crayones
• bolsa de plástico pequeña
• ingredientes sangrientos (pan, salsa catsup)
• cinta adhesiva

El *Giganotosaurio* es un dinosaurio del periodo jurásico apenas descubierto. Era incluso más grande que el *T-rex*.

1 Haz este dibujo en un pedazo de cartón y córtalo con cuidado.

2 Un lado píntalo para que parezca un *T-rex*, el otro píntalo de negro. Déjalo secar.

3 Cuando el lado negro seque, pinta el esqueleto del *T-rex*.

4 Toma una bolsa de plástico chica y llénala de salsa de tomate y trozos de pan o espagueti cubierto de catsup. Ciérrala firmemente con la cinta adhesiva.

5 Pega la bolsa de plástico al esqueleto en el lugar que tendría el estómago. Ahora reta a tus amigos a apachurrar el estómago de un *T-rex*; ¡Guácala!

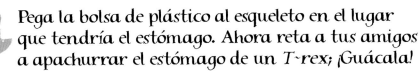

Observa un herbívoro

La cresta puede haber funcionado como una trompeta para hacer fuertes llamados de emergencia.

Los herbívoros variaban en tamaño y forma dependiendo de lo que comieran. El hecho de que comieran plantas no significa que fueran tímidos o una "comida fácil". Muchos eran fuertes y agresivos, tanto contra los predadores como entre ellos mismos cuando peleaban por territorio o por una pareja.

Tragapiedras

Los herbívoros más grandes como el *Braquiosaurio* comían cantidades enormes de plantas: hasta 1,500 kg. diarios de alimento. Muchos herbívoros tragaban piedras y guijarros para ayudarse a digerir el alimento. Haz este experimento para ver cómo funcionaba.

Necesitarás:
• una botella de plásti-co pequeña
• hojas, ramitas, conos de pino pequeños
• piedras pequeñas / grava

Braquiosaurio

El cuello largo para alcanzar las ramas más altas.

1 Pon un puñado de ramitas, de agujas de pino, de pasto o de hojas en una botella de plástico.

2 Agrega un poco de agua y muchas piedras pequeñas. Pon la tapa y sacude con fuerza por algunos minutos.

3 Sacude tanto como puedas y vacíalo. La sopa que has hecho es similar a lo que ocurría en el interior del estómago de un *Braquiosaurio*.

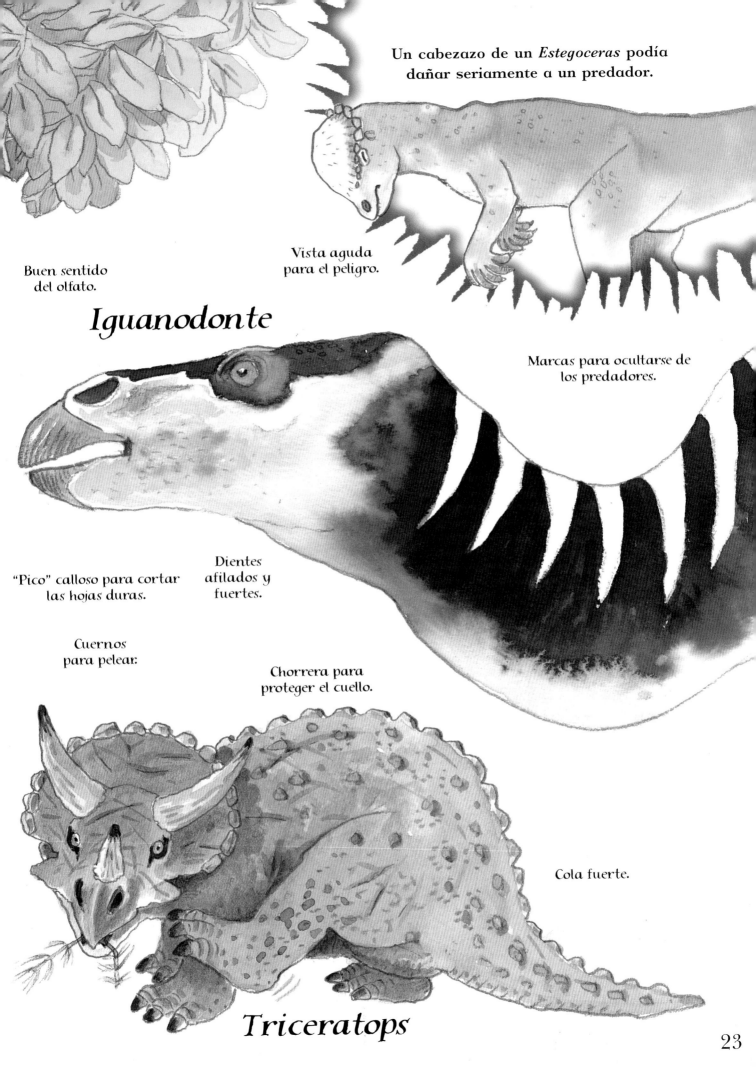

Un cabezazo de un *Estegoceras* podía
dañar seriamente a un predador.

Vista aguda
para el peligro.

Buen sentido
del olfato.

Iguanodonte

Marcas para ocultarse de
los predadores.

"Pico" calloso para cortar
las hojas duras.

Dientes
afilados y
fuertes.

Cuernos
para pelear.

Chorrera para
proteger el cuello.

Cola fuerte.

Triceratops

Vístete de dinosaurio

Los dinosaurios eran de todas formas y tamaños, cada uno adaptado para una habilidad particular. Algunos tenían dientes afilados para arrancar la carne de los huesos. Otros tenían cuellos largos para alcanzar las mejores hojas en el bosque. ¿Qué te gustaría ser, un raptor con dientes de sierra, un *Estegosaurio* con espalda puntiaguda o un *Triceratops* similar a un rinoceronte? Conviértete en un dinosaurio con estas ideas para disfrazarte.

¡Haz un disfraz de raptor!

Necesitarás:
- envoltura de burbujas
- una caja de cartón (que quepa en tu cabeza)
- cartón   • pinturas
- cinta adhesiva
- un par de tijeras
- lápiz adhesivo
- un par de guantes de plástico

1 Toma una caja de cartón y dibuja la forma de una boca con dientes afilados. Corta con cuidado. Pinta la cabeza y déjala secar.

Los raptores fueron predadores inteligentes durante el periodo Cretáceo. Cazaban en grupos y trabajaban juntos para derribar presas grandes: como lo hacen los lobos hoy en día.

2 Pinta la envoltura de burbujas del mismo color que la cabeza y déjala secar. Luego, con suficiente cinta adhesiva, enróllala para darle la forma de una cola y átala con cinta alrededor de tu cintura. Quizás necesites ayuda para esto.

3 Dibuja dos garras grandes en el cartón y píntalas por ambos lados. Pega una garra en cada dedo meñique de los guantes de plástico con la punta hacia arriba.

4 Ponte los guantes de plástico en los pies como si fueran calcetines. Ahora ponte tu cabeza de raptor y prepárate a cazar.

Estegosaurio

Es probable que la cresta huesuda de un *Estegosaurio* cambiara de color (como la piel de un camaleón), para amenazar a un predador o para atraer una pareja. El *Estegosaurio* era fuerte y podía usar su cola para herir, incluso matar, al predador.

Necesitarás:
• cartón
• pinturas • tijeras
• un abrigo o una camisa viejos
• una gorra de béisbol vieja
• una engrapadora

1 Corta en el cartón las secciones de la cresta como ésta y píntalas de tu color favorito.

2 Haz ranuras en la parte trasera de un abrigo o de una camisa viejos. Introduce tus crestas en las ranuras y dóblalas hacia arriba. Engrápalas para mantenerlas en posición.

3 Corta y pinta la cola (con la forma que hay aquí arriba).

4 Pinta una gorra de béisbol vieja del color de la cresta y dibuja un par de ojos.

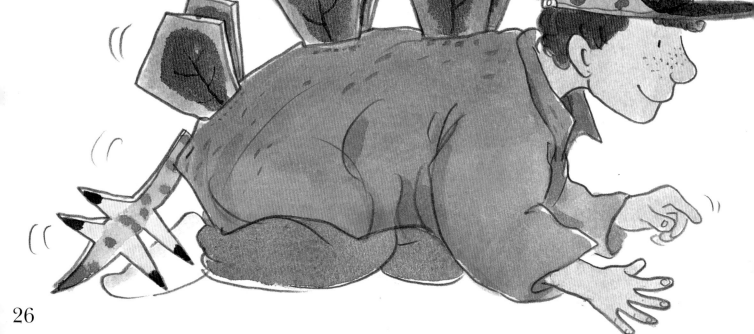

26

Triceratops

El *Triceratops*, el "rinoceronte" del Cretáceo tardío, era fuerte y agresivo; no era buena idea meterse con él. Incluso el *T-rex* debía tener cuidado.

Necesitarás:
- cartón
- tijeras
- cordón
- pinturas

1 Usa un pedazo de cartón grande y corta estas figuras con las medidas de tu cabeza, cuello y hombros.

2 Pinta la máscara del color que quieras y aumenta un par de ojos pequeños.

3 Une con cuidado las piezas haciendo ranuras pequeñas en la chorrera. Une la nariz con cinta adhesiva.

Para ahuyentar al enemigo, algunos dinosaurios con volantes, como el *Triceratops*, hacían que éstos cambiaran de color cuando los enrojecían con sangre. Quizá también tenían figuras como ojos para parecer más grandes, como los pavorreales y las polillas actuales.

¡Cazar! ¡Rasgar! ¡Arrancar!

Los fósiles pueden decirnos cómo se movían, vivían y se alimentaban los dinosaurios. Muestran que el *Velociraptor* rasgaba su presa con una enorme garra en el dedo del pie, de modo que se desangraba hasta morir. ¡Y que los herbívoros eran de cuidado! Los fósiles sugieren que algunas especies vivían en manadas mixtas para tener una mayor seguridad, combinando, por ejemplo, la aguda visión del *Iguanodonte* y los cuernos del *Triceratops*.

Dinojuego

Este juego es la versión jurásica de "las traes".

1 Usen sus trajes o máscaras de herbívoro y sigan al predador; hasta que él decida voltearse y atraparlos.

2 Prepárate para correr. Al que toque primero deberá sentarse hasta que atrape a los demás herbívoros; luego volverá a jugar.

28

Sobre la tierra

Las huellas jurásicas fosilizadas muestran a un *Alosaurio* acechando a un *Diplodocus*. Por el rastro podemos ver que el *Alosaurio* golpea y el *Diplodocus* tropieza, pero cojea… Luego ya no hay huellas, por ello no sabemos lo que ocurrió después.

Las huellas de dientes encontradas en huesos y excremento fosilizados nos muestran que el *T-rex* era un experto para desgarrar su alimento.

En el mar

El veloz *Ictiosaurio* cazaba en los bancos de peces como lo hacen los delfines modernos.

3 El primer herbívoro en ser capturado se convierte en el predador

Escondidillas

Observando a los predadores modernos podemos adivinar como lo hacían los dinosaurios; es posible que el *T-rex* cazara a un *Triceratops* al igual que un tigre caza a un ciervo en un abrevadero. Un grupo de *Alosaurios* probablemente cazaba a un *Diplodocus* como las hienas cazan a una cebra: trabajando juntos para separar a un animal joven o enfermo de la protección de la manada.

El cazador y la presa

El *Velociraptor* cazaba usando su velocidad y muy buenos sentidos del olfato, la visión y la audición. Era un cazador inteligente que atrapaba principalmente herbívoros pequeños. Aprende este juego de escondidillas.

1 Uno de ustedes será el *Velociraptor*, los demás serán herbívoros recién nacidos.

2 Los herbívoros se esconden y el terrible *Velociraptor* los busca.

3 Por turnos cambien de *Velociraptor*.

Se encontró el fósil de un *Velociraptor* enlazado a un *Protoceratops*. Es un misterio por qué murieron juntos.

Una colonia de nidos

El olor a excremento y a pez podrido, los adultos que riñen llamando a sus crías… y los chillidos ensordecedores cuando un predador se acerca demasiado y lo bombardean los padres furiosos. Esa es la descripción de un sitio de anidaje de grullas moderno y de una colonia de pterosaurios antigua.

Diente • Escudo • Cráneo

Éste es un juego para dos personas que se juega como "piedra, papel o tijeras".

Velociraptor come a Protoceratops

Protoceratops come a Estegosaurio

Estegosaurio golpea a Velociraptor

1 Ambos ponen las manos en la espalda.

2 A la cuenta de tres, cada uno saca una mano con una de las tres señas de dinosaurio que se muestran. Quien tenga la seña "más fuerte" gana.

3 Jueguen a 10 veces.

Dino popó

El estiércol ayuda a que las plantas crezcan, pero primero debe descomponerse para formar parte del suelo. Un animal que ayuda a que esto ocurra es el escarabajo de estercolero: Los escarabajos modernos entierran el estiércol de los elefantes, los jurásicos enterraban el de los dinosaurios. Tenían mucho trabajo, una sola popó de un *Estegosaurio* llenaría una llanta.

Delicia de popó

Haz un poco de popó de dinosaurio para acompañar el té y disfrútala como lo haría una larva de escarabajo de excremento.

Necesitarás:
- una sartén
- un recipiente resistente al calor
- una barra de chocolate
- 1 taza de nuez picada o granola

1 Pide a un adulto que te ayude con esto. Pon el chocolate en pedazos en el recipiente y colócalo sobre una sartén con agua muy caliente hasta que el chocolate se derrita.

2 Mezcla la nuez o granola con el chocolate hasta que obtengas una buena mezcla de popó.

Primero, el escarabajo de excremento forma una bola de excremento del tamaño de una pelota de golf.

Luego la rueda hasta un lugar conveniente y la entierra con algunos huevos.

Los huevos se rompen y las larvas se alimentan del excremento hasta que crecen.

3 Forma la mezcla en bolitas del tamaño de una pelota de golf y enfríalas en el refrigerador antes de servir.

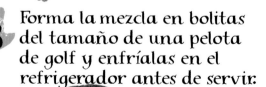

Plantas jurásicas

En el periodo jurásico había muchos tipos de plantas y de árboles; algunos todavía existen, como los pinos y los tejos, las secoyas gigantes, las araucarias, los helechos grandes y los cipreses. No había flores, pues éstas aparecieron hasta el periodo Cretáceo, millones de años más tarde. El pasto surgió aún más tarde, en el periodo Cenozoico.

Algunas veces, la resina pegajosa que salía de la corteza de los pinos jurásicos se endurecía hasta formar una sustancia rocosa llamada ámbar. Los insectos que se habían pegado a la resina quedaron preservados en él; por ello conocemos y podemos ver a los insectos de la era de los dinosaurios.

Cuando tocas un trozo de carbón estás tocando el pasado; es posible que sean los restos fosilizados de bosques pantanosos.

Huevos de dino

Los dinosaurios ponían huevos; se han encontrado muchos fosilizados. La mayoría de los huevos de dinosaurio tenía un cascarón grueso y duro. Algunos los colocaban en nidos de lodo; otros los enterraban como hacen hoy los cocodrilos. Haz tus propios huevos de dinosaurio.

Un *Triceratops* recién nacido sale del huevo.

Necesitarás:
- globos
- periódico
- pegamento líquido mezclado con agua
- cordón
- pinturas
- tijeras
- cinta adhesiva

1 Infla algunos globos en diferentes tamaños y ata un cordón a cada uno.

2 Rompe el papel en cuadros pequeños (alrededor de 4 x 4 cm).

3 Sumerge un pedazo en la mezcla de pegamento y pégalo al globo. Repite esto hasta que el globo esté cubierto de varias capas de papel maché.

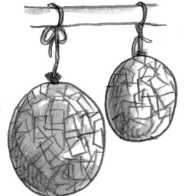

4 Cuelga cada uno de los globos con el cordón y déjalos secar durante 2 días en un lugar cálido. Luego revienta los globos con un alfiler.

5 Pinta tus huevos de color blanco cremoso, azul pálido, verde o con manchas. Decide qué huevo será para cada dinosaurio y ponles una etiqueta.

6 Cuando la pintura seque, corta cuidadosamente el huevo a la mitad y ponle una bisagra de cinta adhesiva. ¿Qué crees que podría ocultarse ahí?

¡Rompe el huevo!

El *Parasaurolofus* era un herbívoro que anidaba en colonias. Era uno de los muchos dinosaurios víctimas del *T-rex* y del *Velociraptor*. Finge estar en el interior de un huevo de *Parasaurolofus* y rómpelo. Usa esto en tu obra o tu video de dinosaurios (ver páginas 44 a 47).

Necesitarás:
• 2 cajas de cartón grandes
• pinturas

1 Asegúrate de que puedas sentarte dentro de una de las cajas, luego pinta las dos como un huevo manchado.

2 Métete en el huevo y sostén la otra caja sobre tu cabeza.

3 Haz algunos chillidos para llamar a tu mamá dinosaurio, levanta la caja y arrástrate. Prepárate para correr aunque... un predador podría estar esperando.

Dino excavación

Desentierra tu propio fósil de dinosaurio. Haz el esqueleto fosilizado que se muestra y entiérralo en una caja de arena. Utiliza una cuchara y una brocha para quitar la arena con mucho cuidado.

Necesitarás:
• limpia pipas
• tijeras
• recipiente de plástico viejo
• guantes
• yeso
• periódico

Esqueleto de dinosaurio

1 Usa los limpia pipas para copiar este esqueleto (o inventa el tuyo). Con unas tijeras corta trozos pequeños para los pies, las costillas, etc. Usa un limpia pipas como gancho temporal.

🐾 **Consejo:** Si no puedes encontrar los limpia pipas, corta figuras de hueso en un cartón y sumérgelos en yeso.

2 Usa ropa vieja y guantes de plástico para mezclar 3 tazas de yeso con una taza de agua en el recipiente de plástico.

3 Sumerge tu esqueleto en la mezcla sosteniéndolo con el gancho.

4 Déjalo secar por media hora colgado sobre una hoja de periódico.

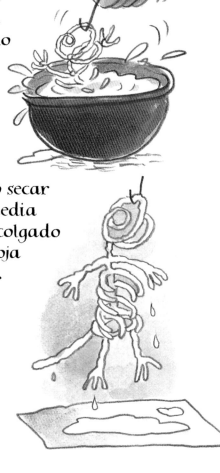

Paleontología

Desenterrar y estudiar los fósiles de dinosaurios recibe el nombre de paleontología. Sólo la excavación puede tomar años. Además de los huesos, también toda la tierra que los rodea cuenta historias, por ejemplo cuándo murió el dinosaurio y cuál era el clima mientras vivía.

1 Cuando se descubre un fósil, se registra cuidadosamente su posición y se excava en la roca que lo rodea.

2 Los huesos se envuelven en yeso para protegerlos mientras se les lleva al laboratorio.

3 En el laboratorio, los esqueletos se limpian y empieza el largo proceso.

4 Algunos de los mejores esqueletos se exhiben en museos.

A veces podemos saber cómo murió un dinosaurio por su esqueleto. Pudo haberlo matado un predador o pudo aplastarlo un herbívoro.

Cazadores de mamíferos

Hacia el final del periodo Cretáceo, los mamíferos ya habían evolucionado. Se veían como las musarañas, las ardillas o los mapaches modernos y eran los ancestros de los mamíferos modernos ¡incluyéndonos! Comían insectos, plantas y huevos y la mayoría salía de noche, cuando había menos dinosaurios. Pero aún había un cazador al acecho… el *Troodon*.

Troodon

El *Troodon* tenía ojos grandes para ver en la oscuridad. Podía moverse tan silenciosamente como un gato y saltar sobre su presa con su garras afiladas. Imagina que el *Troodon* ha escarbado un agujero en la madriguera del mamífero y prueba sus reacciones.

Necesitarás:
- un calcetín viejo
- dos botones
- hilo y aguja
- un tubo de cartón largo
- un "ratón"
- hilo de algodón o de cáñamo

 1 Haz un títere de *Troodon* con un calcetín y cose los dos botones en los ojos.

 3 Corta dos piezas de hilo de algodón o de cáñamo, cada uno debe ser 15 cm. más largo que el tubo.

4 Encuentra un "ratón" (como un juguete para mascotas") o haz uno con dos trozos de peluche o con un calcetín pequeño relleno de algodón. Asegúrate que recorra con facilidad por el tubo. Éste será tu "mamífero".

 2 Con cuidado corta en el tubo un agujero de 15 cm. de largo y del ancho suficiente para que quepa tu mano.

5 Fija los hilos adelante y atrás de tu mamífero. Ponlo en el tubo con los hilos colgando en cada extremo.

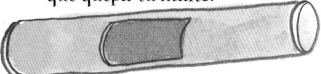

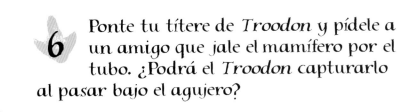

6 Ponte tu títere de *Troodon* y pídele a un amigo que jale el mamífero por el tubo. ¿Podrá el *Troodon* capturarlo al pasar bajo el agujero?

Escribe una historia

Durante el día, estábamos a salvo en nuestra madriguera. Pero al atardecer, cuando salíamos a buscar alimento, los cazadores nocturnos esperaban. Yo era astuto e incluso robaba huevos en sus nidos. Pero una noche, mi amigo Sniff y yo cometimos un error; tomamos por el camino equivocado. Con un chillido hambriento, Troodon nos arrinconó contra una roca. Sacudía su cola y siseaba listo para saltar.

De repente...

Imagina que eres un mamífero pequeño que vivía en aquellos tiempos lejanos. Éste es el principio de una historia. Continúala y elige un buen final.

¿Qué ocurrirá después?

A *T-rex*, a quien despertó el ruido, atrapa a *Troodon* y tú escapas.

B Escapas, pero dejas tu cola en el hocico de *Troodon*.

C Un volcán hace erupción y en el momento de pánico te escurres entre las piernas de *Troodon* y huyes.

D Sniff no logra escapar.

E Ninguna de las anteriores, tienes una idea mejor.

Así puede haberse visto uno de los primeros mamíferos.

39

El fin de los dinosaurios

Hace alrededor de 66 millones de años, el desastre llegó. Hubo una gran explosión y, durante muchos años, nubes de polvo cubrieron el cielo bloqueando el sol, la lluvia se volvió ácida y el suelo y el agua se envenenaron. El clima cambió y se rompió la cadena alimenticia. Los dinosaurios comenzaron a morir.

Necesitarás:
- una botella de plástico (no uses de vidrio)
- bicarbonato sódico o polvo para hornear
- salsa catsup
- vinagre
- una taza • arena

Haz un volcán

1 Pon 6 cucharadas de bicarbonato sódico en la botella. Entierra la botella en un cono de arena dejando sobresalir la boca. Has esto fuera de casa o en un recipiente de plástico grande.

3 Luego mezcla 4 cucharadas de catsup con 6 cucharadas de vinagre en una taza o una jarra.

2 Coloca tus dinosaurios alrededor del volcán.

Nadie sabe con certeza qué ocasionó el final de los dinosaurios. Algunos científicos dicen que fue una erupción volcánica enorme, mientras que otros piensan que un meteorito gigante golpeó la Tierra.

4 Cuando estés listo para una erupción, vacía la mezcla de catsup en la botella y aléjate. Los químicos del bicarbonato y el vinagre harán reacción y tu volcán hará erupción.

5 Limpia. Y dale a tus dinosaurios un baño. Recuerda usar este truco cuando hagas tu película o tu obra de dinosaurios. (ver págs. 44 a 47).

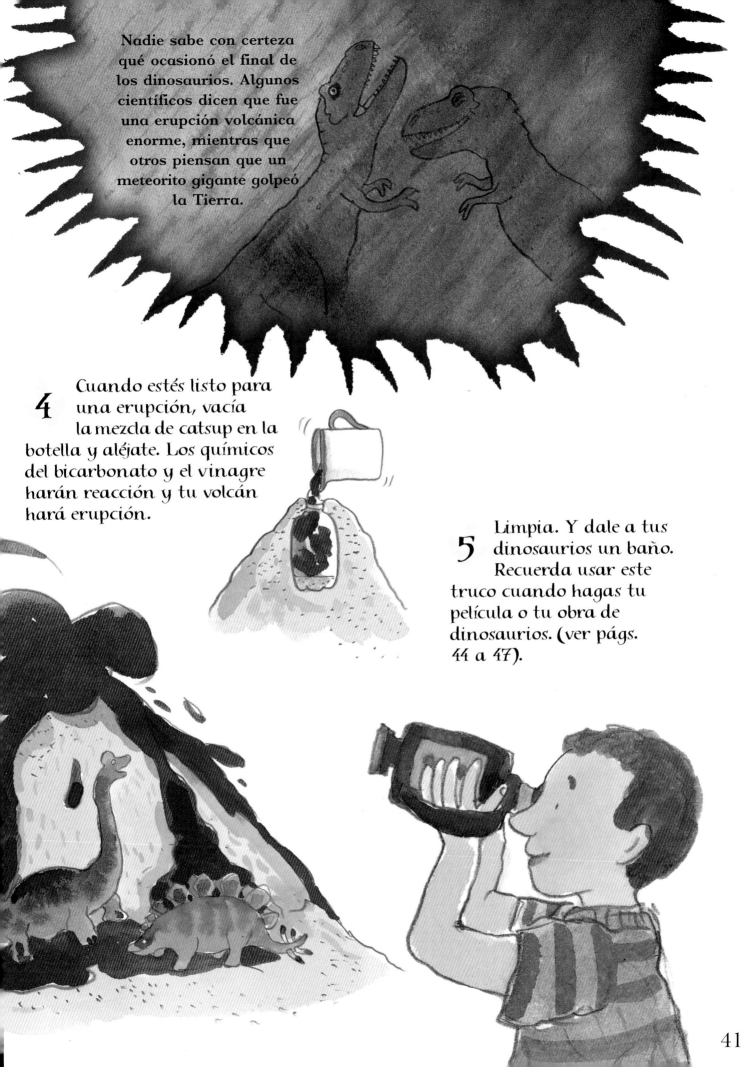

41

Atardecer de dinosaurios

En el periodo Cretáceo, debió haber
atardeceres espectaculares y muy rojos.
Esto debido a todo el polvo del aire.
Pinta tu propio atardecer Cretáceo.

Necesitarás:
- papel blanco
- papel negro
- pinturas y brochas
- tijeras
- pegamento
- esponja

 1 Toma una hoja de papel y
ponle manchas de pintura
roja, naranja y amarilla.

2 Ahora dóblalo o
aplástalo para
crear un loco
efecto de atardecer.
Alísalo
y déjalo secar.

4 Pega las figuras en
la escena.

 5 También puedes usar los
agujeros en forma de
dinosaurio del papel negro
como patrones para copiarlos con
pintura azul y una esponja.
¡Increíble!

 3 Dibuja figuras de dinosaurio
en el papel negro y córtalas.

Dinoboliche

Realiza tu propio "experimento" de meteoritos con tus modelos de dinosaurio.

1 Coloquen sus modelos en un extremo de la habitación.

2 Formen pelotas de periódico (del tamaño de las de tenis).

3 Por turnos, arrojen sus meteoritos a los dinosaurios.

4 ¿Quién derribó más dinosaurios? ¿Qué dinosaurios sobrevivieron y cuáles se extinguieron en tu lluvia de meteoritos?

Los meteoros son pedazos de roca que viajan a gran velocidad por el espacio. En ocasiones chocan con la Tierra como meteoritos, pero la mayoría se incendia al entrar a la atmósfera. En muy raras ocasiones meteoritos grandes han golpeado la tierra dejando cráteres inmensos.

43

Dino espectáculo

Parte de la diversión de ser un dinomaníaco es compartir tu interés con todos tus amigos y familiares. Aquí tienes algunas ideas para montar un espectáculo de dinosaurios. Si tienes éxito puedes convertirlo en una película.

• Un dinosaurio en mi habitación

• **Raptores contra *Triceratops***

Una obra de dinosaurios

Usando los disfraces que hiciste puedes preparar una obra de dinosaurios. También puedes hacerlo con marionetas en tus hábitats de dinosaurio. Crea tus propias historias, pueden ser serias o divertidas. Asegúrate que estén llenas de acción. Ya te hemos dado algunas ideas para empezar.

• **Perdido en el bosque a medianoche**

• **Un Parasaurolofus sale del huevo**

Sonidos en la oscuridad

Prepara estos efectos de sonido.

1 Una cubeta con 3cm de agua para sonidos de chapoteo.

2 Una hoja de cartón o de papel cascarón para agitarla y hacer sonidos de truenos.

Danzas de dinosaurio

Incluye algo de música en tu espectáculo y pon a todos a bailar. Los dinosaurios se movían de diferentes maneras. Encuentra algo de música que tenga partes lentas y rápidas, y pasajes ruidosos y callados. Ahora muévete al ritmo de la música como los diferentes dinosaurios.

Nada como el enorme y peligros *Liopleurodón*.

Pisotea como el *Estegosaurio* al revolcarse en el lodo.

Corre como un bebé *Parasaurolofus* al escapar de un *Velociraptor*.

Aletea como un *Ornitoqueiro* al despegar.

Salta como un *Velociraptor* cazando.

3 Un tubo de papel para hacer el sonido de los fuertes llamados en la jungla.

4 Una caja llena de periódico arrugado para hacer crujidos.

 5 Ahora escribe tu propia historia de "radio" usando estos efectos. Practícalos y luego grábalos. También puedes hacer una representación en vivo estando tú y tus equipos ocultos del público, por ejemplo tras el sofá o la cortina.

45

Haz tu propio video de dinosaurios

Reúne todos tus modelos, tus actividades y tus representaciones de dinosaurios en una divertida película. Puedes filmar una de tus obras o hacer un documental. Si no tienes una cámara de video pide una prestada, pero recuerda preguntar primero.

Guión

Empieza con el guión. Éste da instrucciones a los actores y cuenta la historia. Un "documental sobre dinosaurios" puede ser como éste.

Selección

Decide quién hará qué en tu película. Por supuesto puedes hacer más de una cosa.

Necesitarás:
• un director
• un camarógrafo
• actores • titiriteros
• gente a cargo de sonido, luz y efectos especiales

Escena 1

Voz de fondo (susurro): Aquí estamos, ocultos entre los arbustos cuando el *T-rex* comienza a salir del huevo… (el huevo se rompe y el *T-rex* sale chirriando)

Bebé de T-rex: Aaark, aaark.

Voz de fondo (susurro): ¡Qué magnífico animal.

Bebé de T-rex: Aaark, aaark.

Voz de fondo (susurro): Los *T-rex* jóvenes están hambrientos desde que salen del huevo.

Bebé de T-rex (más fuerte y moviéndose hacia la cámara): Aaark, aaark.

Voz de fondo (pasa de susurro a un fuerte grito pánico creciente): Un momento, viene hacia acá. Estoy a unos centímetros de un *T-rex*. Es verdaderamente… ¡Aaaahhhh! (se llena de sangre la pantalla)

Fin.

Muda o sonora

Si quieres gritar indicaciones mientras film y que éstas no aparezcan en tu película, entonces puede convertirla en una película muda. Sólo baja el volumen cuando la proyectes y pon música ambiental.

Si quieres sonido, debes practicar antes los pasos, los chapoteos, los crujidos de los árboles y los gritos de dinosaurio y planear cuando usarlos al momento de filmar.

Planeación

Un *storyboard* es un plan de la película con fotos, similar a una tira cómica. Puede ser detallado o muy garabateado, siempre y cuando te ayude a saber qué ocurre y cuándo. Piensa en acercamientos de tus propios modelos en tu parque de dinosaurios y escenas de acción en locación con tus disfraces.

Usa primero el *storyboard* con tus actores y titiriteros para ensayar todos los movimientos.

Cuando termines de planear y de ensayar, podrás empezar a filmar.

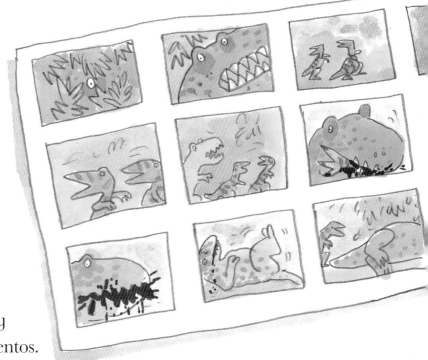

Filmación

Cuando estés filmando, intenta cambiar la manera de ver la acción; desde la vista de un ave hasta la de un gusano. Mantén el objeto que estás filmando en el centro del cuadro. Haz cada sección de filmación de sólo unos segundos. Diviértete y no te preocupes si cometes errores; también pueden ser muy divertidos.

visión de ave

visión de gusano

central

acercamiento

toma a distancia

sorpresa

Sangriento

Por último, asegúrate que haya mucha sangre y vísceras. Usa pan remojado o espagueti frío cubiertos de salsa catsup.

Índice de dinosaurios

Para Charlottesaurio

Primera edición:
© 2001 por Franklin Watts

Primera edición en español:
© 2003, Distribuidora Planeta Mexicana,
S. A. de C. V.
Av. Insurgentes Sur 1898, piso 11,
colonia Florida, México D. F. 01030
ISBN: 970-690-853-6
Todos los derechos reservados

Texto e ilustraciones © 2001 Mick Manning
y Brita Granström

Editor: Rachel Cooke; Director de arte: Jonathan
Hair; Diseño: Matthew Lilly, Consultor: Dr.
David Norman, Sedgwick Museum, Museo de la
Universidad de Cambrige.

Impreso en China

Mick y Brita quisieran agradecer a Invicta Plastics Limited,
Oadby, Leicester por proporcionar las muestras de sus
Colección del Museo de Historia Natural (© Natural
History Museum, Londres). La colección, producida con
licencia por Invicta Plastics Limited, está basada en una
serie de modelos a escala 1:45 del Natural History Museum,
Londres y está disponible en los museos de historia natural
de todo el mundo.